Les grands Contes
de toujours

Ce livre réunit quatre contes parus chez Nathan
dans la collection *Musicontes* © Nathan 2005 :

La petite poule rousse
d'après un conte irlandais, illustré par Céline Guyot

Boucle d'Or et les trois ours
d'après le conte de Sara Cone Bryant, illustré par Fabrice Turrier

Le Petit Chaperon Rouge
d'après le conte de Charles Perrault, illustré par Cécile Gambini

Les trois petits cochons
d'après le conte de J.O. Halliwell, illustré par Olivier Latyk

Direction artistique : Anne-Catherine Souletie

Pour la présente édition © Éditions Nathan 2006
Coordination : Véronique Roberty
Réalisation : Atelier Gérard Finel, Paris

Conforme à la loi n° 49 956 du 16 juillet 1949
sur les publications destinées à la jeunesse.
N° d'éditeur : 10134030
ISBN 2-09-207664-7
Dépôt légal : mai 2006
Achevé d'imprimer en Espagne

Les grands Contes de toujours

illustrés par Céline Guyot, Fabrice Turrier, Cécile Gambini et Olivier Latyk

Nathan

Quatre contes de toujours

La petite poule rousse

d'après un conte irlandais
Illustrations de Céline Guyot

**IL ÉTAIT UNE FOIS** une petite poule rousse qui vivait dans sa petite maison au fond des bois. Comme elle avait de nombreux amis, la chouette, l'écureuil et tant d'autres, elle ne se sentait jamais seule.

Son unique ennemi restait le renard : lui, ne pensait qu'à voir bouillir la petite poule rousse dans une grande marmite.

« Ah ! quel merveilleux dîner nous ferions, ma vieille maman et moi... », soupirait-il.

À demi malin, le renard essayait en vain de venir à bout de la petite poule rousse mais elle se montrait rusée.

Très vigilante, elle faisait des allées et venues en prenant grand soin de refermer la porte à clé derrière elle. Puis elle glissait la clé dans la poche de son tablier, avec son dé, son crayon, ses ciseaux. Dans la grande cheminée, un feu brûlait nuit et jour pour décourager le renard d'y descendre. Alors, une fois rentrée chez elle, la petite poule rousse s'installait dans son fauteuil et tricotait tranquillement.

Un jour de grand froid, la petite poule rousse courut dans la clairière pour ramasser des bûches mais, dans sa précipitation, elle oublia de refermer la porte. Il fallait faire vite, de peur que le renard ne passe par la cheminée. Le renard, qui veillait depuis le matin dans le bois, un grand sac sous le bras, se glissa discrètement à l'intérieur de la maison. La petite poule rousse ne vit même pas la longue queue de son ennemi disparaître derrière la porte de sa maisonnette.

Le renard courut se cacher entre les rideaux et la fenêtre et pointa doucement son museau pour observer l'entrée de la petite poule rousse. Elle portait dans son panier les lourdes bûches qu'elle déposa près de la cheminée.

Alors, le renard jaillit de sa cachette, les moustaches en bataille, son grand sac à la main. Il crut pouvoir attraper la poulette d'un seul coup. Oui, mais… il avait oublié que les poules ont des ailes. Et c'est ainsi que la petite poule rousse alla se percher sur l'armoire !

Une fois là-haut, la petite poule rousse prit le temps de se moquer de son chasseur.

Vexé, le renard eut une idée : il se mordit la queue du bout des dents et commença à tourner, tourner, tourner sur lui-même comme une toupie…

Tant et si bien que la petite poule rousse s'en trouva tout étourdie à le suivre des yeux. Le renard savait que le vertige ferait son œuvre : la petite poule rousse tomba la tête la première dans le sac !

Le renard s'empressa de refermer le sac, de bien serrer la ficelle pour empêcher la petite poule rousse de s'échapper. Il jeta le sac sur son épaule et partit d'un bon pas sur le chemin du retour.

La petite poule rousse se sentait un peu perdue dans le noir. Alors, elle chercha à tâtons ses ciseaux, dans la poche de son tablier et découpa, ni vu ni connu, un trou dans la toile du sac. Prudemment, elle sortit sa tête.

Le renard avait dû marcher d'un bon pas ; la petite poule rousse avait du mal à reconnaître le paysage.

D'ailleurs, le renard se sentait bien fatigué, tellement fatigué qu'il décida de faire halte au bord de la route.

Un repos bien mérité car il restait encore une bonne moitié du chemin à parcourir. Et le renard s'endormit…

Pendant ce temps, la petite poule rousse reprit ses ciseaux pour entrouvrir davantage le sac et en sortir.

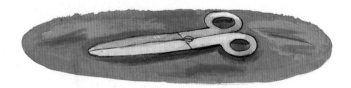

Puis elle alla chercher une grosse pierre qu'elle glissa
à l'intérieur. Hou ! que c'était lourd !

Enfin, elle revint chez elle aussi vite qu'elle pût en courant, en volant, et elle s'enferma soigneusement dans sa maison.

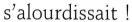

Le renard s'éveilla, prêt à reprendre la route avec, pour l'encourager, l'idée d'un bon repas.

Mais plus il avançait, plus il lui semblait que le sac s'alourdissait !

« Oh ! que cette poule est lourde, se disait-il. Voilà une bonne affaire, grasse à souhait. Nous allons nous régaler ! »

Sa vieille mère l'attendait sur le pas de la porte. Elle vit venir son fils, tout en sueur et tellement fatigué…

– Alors, tu l'as attrapée cette petite poule rousse ?

– Bien sûr ! As-tu fais chauffer la marmite ?

L'eau bouillait à gros bouillons sur le fourneau. Sans plus tarder, le renard empoigna le sac par le fond, devant les yeux admiratifs de sa vieille maman. Il le secoua alors brusquement au-dessus de la marmite.

Schplouff ! La pierre dégringola et la marmite, en se renversant, ébouillanta la famille renard. La mère et le fils hurlèrent, mais, malgré leurs cris, ils moururent rapidement.

À compter de ce jour, la petite poule rousse ne ferma plus sa porte à clé. Son pire ennemi avait définitivement quitté la forêt. Fenêtres et portes grandes ouvertes sur le soleil, elle invitait ses amis la chouette, l'écureuil, le lapin et tant d'autres à venir lui tenir compagnie.

FIN

Boucle d'Or et les trois ours

d'après le conte de Sara Cone Bryant
Illustrations de Fabrice Turrier

**IL ÉTAIT UNE FOIS** une petite fille que l'on appelait Boucle d'Or. Elle vivait avec ses parents dans un village tout près de la forêt.

Un jour, en se promenant, voilà qu'elle aperçoit une maison qu'elle ne connaît pas. Boucle d'Or est très curieuse, et elle oublie les bons conseils que sa maman lui a donnés. Des conseils comme ça :

– On n'entre jamais chez les gens sans y avoir été invité.

Ou encore :

– C'est très mal élevé de regarder par le trou de la serrure.

Justement, c'est ce qu'elle fait : elle regarde par la fenêtre, puis par le trou de la serrure. Personne. Alors, elle pousse doucement la porte qui n'est pas fermée et entre sur la pointe des pieds…

C'est vraiment une drôle de petite maison.

Au mur, il y a trois pendules : une grosse, une moyenne et une toute petite.

« Tac-tac, tac-tac ! » fait la grosse pendule.

« Tic-tac, tic-tac ! » fait la pendule moyenne.

« Tic-tic, tic-tic ! » fait la toute petite pendule.

Dans la salle à manger, Boucle d'Or voit une table servie avec trois assiettes : une grande, une moyenne et une toute petite. Et, dans chacune d'elles, il y a de la soupe ; une soupe qui a l'air vraiment délicieuse.

– Je vais goûter, se dit la gourmande, juste un peu !

Elle plonge une cuillère dans la grande assiette :
– Ouille ! c'est bien trop chaud !

Elle goûte ensuite dans l'assiette moyenne :

– Pouah… c'est bien trop froid !

Puis elle prend une cuillerée dans la toute petite assiette :

– Mmm… c'est bon, juste comme il faut.

Et Boucle d'Or mange toute la soupe.

Rassasiée, Boucle d'Or décide de visiter.

C'est bizarre, dans cette maison, tout ce que l'on voit va par trois : trois manteaux, trois chapeaux, et aussi, sagement alignées contre le mur, trois chaises. Une grande, une moyenne et une toute petite.

Boucle d'Or essaie de grimper sur la grande chaise :

– Oh, là, là ! elle est bien trop haute !

Elle se hisse alors sur la chaise moyenne :

– Ouille ! elle est bien trop dure !

Enfin, elle monte sur la toute petite chaise :

– Mmm, très confortable, juste comme il faut !

Alors, Boucle d'Or fait ce qu'il ne faut pas : elle se balance et patatras ! elle dégringole, et crac ! la chaise se casse !

Heureusement, Boucle d'Or ne s'est pas blessée. Elle joue un peu avec ce qu'il y a dans la maison et met – oh ! la mal élevée – un grand désordre partout.

Puis elle monte l'escalier et découvre une chambre à trois lits : un grand, un moyen et un tout petit. Justement, elle se sent un peu fatiguée.

Elle essaie de grimper sur le grand lit :
– Oh ! il est bien trop haut !

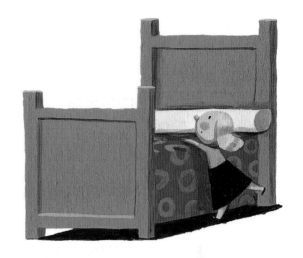

Puis elle s'installe sur le lit moyen :
– Ouille, il est bien trop dur !

Enfin, elle se couche dans le tout petit lit :
– Mmm… très confortable, juste comme
il faut !
Et Boucle d'Or s'endort aussitôt.

Peu de temps après, les habitants de la maison rentrent chez eux… Ce sont trois ours qui étaient partis faire un petit tour avant de dîner.

– Quelqu'un est entré dans la maison, dit le gros ours de sa grosse voix.

– Quelqu'un a tout dérangé, dit l'ours moyen de sa voix moyenne.

– Quelqu'un a touché à mes jouets, dit le tout petit ours de sa toute petite voix.

Très inquiets, les trois ours s'approchent de la table.

– Quelqu'un a touché à ma soupe, dit le gros ours de sa grosse voix.

– Quelqu'un a aussi touché à ma soupe, dit l'ours moyen de sa voix moyenne.

– Quelqu'un a touché à ma soupe et me l'a toute mangée, dit le tout petit ours de sa toute petite voix.

Il est prêt à pleurer, et ça se comprend.

Vraiment mécontents, les trois ours regardent leurs chaises.

– Quelqu'un a touché à ma chaise ! dit le gros ours de sa grosse voix.

– Quelqu'un s'est assis sur ma chaise ! dit l'ours moyen de sa voix moyenne.

– Quelqu'un s'est assis sur ma chaise et l'a toute cassée ! dit le tout petit ours de sa toute petite voix.

Pauvre petit ours ! Cette fois, il se met à pleurer pour de bon.

Très en colère, les trois ours montent l'escalier et entrent dans leur chambre.

– Quelqu'un a touché mon lit ! dit le gros ours de sa grosse voix.

– Quelqu'un est monté sur mon lit ! dit l'ours moyen de sa voix moyenne.

Et quand le petit ours vient regarder son lit, sur l'oreiller, il voit une masse dorée : les cheveux de Boucle d'Or.

– Quelqu'un est monté sur mon lit et y est encore couché ! dit le tout petit ours de sa toute petite voix.

Boucle d'Or a entendu dans son sommeil la voix du gros ours. Mais elle a cru que c'était le tonnerre. Et puis elle a entendu la voix de l'ours moyen, mais elle a cru que c'était le vent. Mais la toute petite voix flûtée du tout petit ours lui a percé les oreilles... et l'a réveillée.

Quand elle voit les trois ours penchés sur elle, vite, vite, elle sort de son lit et vite, vite, elle court vers la fenêtre et hop ! elle saute.

Heureusement, ce n'était pas très haut. Stupéfaits, les trois ours se penchent par la fenêtre et voient la petite fille aux boucles d'or qui court, court, court en regardant derrière elle pour voir si personne ne la poursuit.

Mais personne ne l'a poursuivie… Boucle d'Or est vite rentrée chez sa maman, et plus jamais, jamais, elle n'est revenue dans ce coin de la forêt.

Et les trois ours ? Eh bien, tout bougonnants, tout fâchés, ils ont rangé leur maison !

FIN

Le petit chaperon rouge

d'après le conte de Charles Perrault
Illustrations de Cécile Gambini

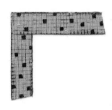**IL ÉTAIT UNE FOIS,** à l'orée de la forêt, une maison. Et dans cette maison vivait une petite fille. Elle portait toujours sur sa tête un petit chapeau rouge, et on l'avait appelée le Petit Chaperon Rouge.

Le Petit Chaperon Rouge avait bien sûr une Maman, et aussi une Mère-Grand qui vivait de l'autre côté de la forêt. Voici qu'un jour…

– Ma petite, dit la Maman, ta Mère-Grand est un peu malade. Va donc lui porter cette galette et ce pot de beurre. Mais surtout, fais attention ! Ne t'attarde pas en chemin !

– Oui, oui, répond le Petit Chaperon Rouge.

Et pfuit ! son petit panier sur le bras, la fillette s'en va gaiement.

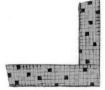

Le Petit Chaperon Rouge, bien sagement, s'en va tout droit chez sa Mère-Grand.

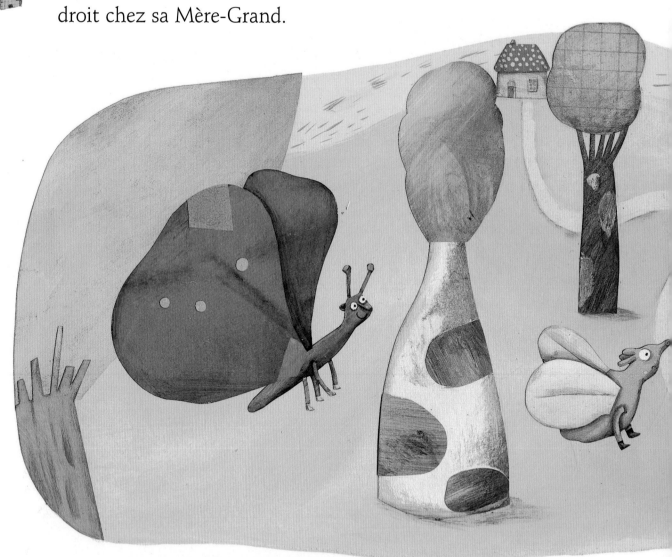

Elle s'arrête juste un tout petit peu, de-ci, de-là, pour respirer une fleur, regarder un champignon, cueillir un bouquet pour Mère-Grand ou courir après un papillon… Mais sans s'attarder, bien sûr !

Tout à coup, cric-crac ! le Petit Chaperon Rouge entend un bruit.

– Bonjour, dit une grosse voix, comment t'appelles-tu ?

C'est le loup ! Un grand loup affamé dont les yeux brillent dans l'ombre. La petite fille, bien élevée, lui répond :

– Bonjour ! Je suis le Petit Chaperon Rouge.

– Ouh-ouh ! fait le loup. Quel joli nom ! Mais que fais-tu toute seule dans la forêt ?

– Je vais chez ma Mère-Grand, à l'autre bout de la forêt, porter cette galette et ce pot de beurre.

– Ouh-ouh, là, là ! Mais tu n'es pas sur le bon chemin, lui dit le loup. Prends plutôt ce raccourci, tu seras plus vite arrivée.

Le Petit Chaperon Rouge ne sait pas qu'il est très dangereux d'écouter le loup. Aussi, enchantée du bon conseil, elle remercie poliment et s'en va en chantonnant.

Le loup la regarde partir avec un sourire gourmand.

– Hé, hé, hé, ricane-t-il. À bientôt, Petit Chaperon Rouge !

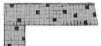

Et le méchant se met à courir à toute allure. Évidemment, il arrive chez Mère-Grand bien avant la petite fille ! Toc-toc-toc ! Le loup frappe à la porte.

– Qui est là ? demande la Mère-Grand de sa voix chevrotante.

– C'est moi, votre petit Petit Chaperon Rouge ! dit le loup d'une toute petite voix.

– Tire la bobinette et la chevillette cherra… répond alors Mère-Grand qui ne se méfie pas.

À ces mots, le loup bondit dans la maisonnette en renversant tout sur son passage. Il se précipite sur Mère-Grand… et n'en fait qu'une bouchée !

Le loup se lèche les babines. Il pense à la suite de son repas…

« Ouh-ouh, une petite fille dodue, quelle aubaine ! »

Il se coiffe d'un bonnet de nuit, enfile une robe de chambre et se glisse dans le lit à la place de Mère-Grand. Le Petit Chaperon Rouge ne va pas tarder…

En effet, peu après, la fillette arrive, toute contente.
Toc-toc-toc ! Elle frappe à la porte.

    – Qui est là ? demande le loup d'une voix chevrotante.

    – C'est moi, votre Petit Chaperon Rouge.

    – Tire la chevillette et la bobinette cherra !

Le Petit Chaperon Rouge entre aussitôt :

– Bonjour, Mère-Grand ! fait-elle gaiement.

Puis elle s'arrête, étonnée…

– Oh, Mère-Grand, que vous avez de grands yeux !

– C'est pour mieux te voir, mon enfant, répond le loup de sa voix de Mère-Grand.

– Oh, Mère-Grand, que vous
avez de grands bras !

– C'est pour mieux te serrer
contre moi, mon enfant !

– Oh, Mère-Grand, que vous
avez de grandes dents !

– C'est pour mieux
te manger, mon enfant !
répond le loup avec
sa grosse voix de loup…

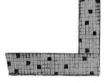

Et, en disant ces mots, le loup se jette sur le Petit Chaperon Rouge ! La fillette essaie de se sauver, crie au secours... Mais trop tard : le loup n'en fait qu'une bouchée !

– Au secours, au secours ! crie encore une toute petite voix au travers de son ventre.

Un chasseur qui passait par là, en entendant tout ce remue-ménage, s'approche de la maison. Il regarde par la fenêtre et, voyant le loup avec son gros ventre et son air repu, il comprend tout...

Alors, vite, le chasseur entre dans la maison, vise l'animal avec son fusil et... pan !

Le loup tombe raide mort...

Mais on entend encore les cris du Petit Chaperon Rouge et de sa Mère-Grand :

– Au secours, au secours !

Le chasseur ouvre le ventre du loup.

Le Petit Chaperon Rouge et sa Mère-Grand sont enfin délivrées !

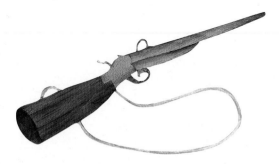

Et la fillette jure bien que plus jamais, plus jamais, elle n'écoutera le méchant loup !

FIN

Les trois petits cochons

d'après le conte de J. O. Halliwell
Illustrations d'Olivier Latyk

IL ÉTAIT UNE FOIS trois petits cochons, dodus et roses, qui habitaient dans la forêt avec leur maman.

Le premier, Snif, était plutôt rêveur. Le deuxième, Snouf, était le plus grand des trois ; il se montrait parfois un peu vantard, mais riait tout le temps. Quant au troisième, Snaf, le plus sérieux, il préférait lire ou bricoler.

Un jour, leur maman leur expliqua que la maison n'était plus assez grande pour les abriter tous les trois.

– Maintenant, il faut que vous viviez seuls, dit-elle. Vous partirez chacun de votre côté et vous bâtirez votre propre maison. Mais attention, il faut qu'elle soit solide, car le grand méchant loup n'attend qu'une occasion pour vous croquer !

Les trois petits cochons firent donc leurs baluchons, un peu tristes de quitter leur maman, mais bien contents quand même de découvrir la vie.

– Au revoir mes petits, et méfiez-vous du loup ! leur dit leur maman.

Ce fut Snif qui, le premier, bâtit sa maison. Sans penser au danger, il la fit en paille, toute fleurie : il n'eut qu'à trouver la paille.

Snouf travailla aussi rapidement que son frère pour construire sa maison en bois : il lui suffit de réunir les planches et de les clouer.

Ni l'un ni l'autre ne craignait le grand méchant loup.

Snaf, lui, mit plus de temps que ses frères pour bâtir sa maison car il la fit en pierre et en ciment. Il y ajouta un toit de tuiles et une vraie porte en bois.

– Un toit solide, une vraie porte : il va faire bon vivre dans ma maison !

Le temps passa et, un beau jour, on vit arriver le grand méchant loup ! Les trois petits cochons écarquillèrent leurs yeux de terreur ! Chacun partit en courant à toutes jambes rejoindre sa maison.

Il faut dire que le grand méchant loup avait appris
que les trois petits cochons s'installaient dans les environs.
En bon voisin, il avait donc décidé de leur rendre visite…
pour les manger !

Le grand méchant loup se rendit d'abord chez Snif. Là, il fit un effort pour se montrer aimable dans l'espoir de convaincre le petit cochon d'ouvrir sa porte :

– Bonjour Snif ! Veux-tu bien me laisser entrer ?

– Ah non, alors ! Certainement pas... s'empressa de répondre Snif.

– Comment, non ? hurla le loup. Ouvre !

– Non, non et non ! Tu ne mettras jamais ton vilain museau dans ma maison de paille.

Et le petit cochon ferma le verrou de sa porte.

– Tu l'auras voulu, cria le loup. Je soufflerai si fort sur ta maison que la paille s'envolera et alors, je te mangerai !

Le loup souffla… souffla de toutes ses forces et la paille s'éparpilla dans l'air léger de la clairière.

Quand le loup se précipita pour attraper le petit cochon, Snif, terrifié, lui échappa et se précipita chez son frère Snouf, dans la maison de bois.

Le loup suivit aussi vite qu'il pût mais, quand il arriva chez le deuxième petit cochon, la porte était déjà refermée. Snif, haletant, raconta ce qui s'était passé à son frère.

— Petits cochons ! Petits cochons ! criait le loup. Ouvrez la porte !

Les deux frères se croyaient à l'abri dans la maison de bois.

— Ouvrez cette porte ! hurlait le grand méchant loup.

— Non, non et non ! Tu ne mettras jamais les pattes dans ma maison de bois ! répondit Snouf.

— Tu l'auras voulu ! vociféra le loup. Je soufflerai si fort sur ta maison que les planches s'effondreront, et alors, je vous mangerai !

Le loup souffla… souffla de toutes ses forces !
Et la maison de bois s'effondra brutalement.

Les deux petits cochons coururent comme de beaux
diables pour échapper au loup. Le temps que ce dernier
reprenne son souffle, Snif et Snouf arrivèrent chez leur
frère. Quand Snaf les vit accourir, il devina tout de suite
le drame.

Il les attendait sur le seuil de sa maison de pierre.
Aussitôt, il referma la porte : ils étaient tous les trois sains
et saufs, à l'abri.

Mais le grand méchant loup ne s'avouait toujours pas vaincu. L'envie d'un bon dîner l'encourageait plutôt.

– Bon, lança le loup, je vais souffler si fort sur ta maison qu'elle s'effondrera et je vous mangerai tous les trois !

Il souffla… souffla… souffla… et là, rien ne bougea. C'est à peine si la porte en bois frémit ; mais pas suffisamment pour laisser passer un grand méchant loup. Alors il recommença avec obstination… Toujours rien.

– J'en ai assez ! cria le loup. Vous m'entendez ? Assez ! Vous l'aurez voulu : je rentrerai, cette fois, et par la cheminée !

À ces mots, les trois frères se ruèrent sur les bûches pour allumer un feu. Pendant ce temps, le grand méchant loup installa une échelle contre le mur et grimpa sur le toit. Il jubilait !

Une fois là-haut, il exécuta ses menaces : autrement dit, il se laissa glisser dans la cheminée…

– Aïe, aïe, aïe, au secours ! À l'aide ! Je brûle !

La queue en flammes, le postérieur roussi, le grand méchant loup hurlait de douleur en remontant péniblement le long de la cheminée.

Les trois petits cochons, eux, riaient aux éclats en dansant la ronde dans la maison de pierre.

Quant au loup, on ne l'a jamais revu dans la forêt. On dit qu'il court encore…

Mais Snif et Snouf bâtiront eux aussi une vraie maison de pierre, comme celle de Snaf, une vraie maison pour y dormir tranquille.

FIN